すーすー
するよ？

はをみがいた
からかな？

すー
すー
するよ？

めんぼうして
もらったからかな？

すー
すー
するよ？

かにさされて
おくすりつけた
からかな？

すーすー
するよ？

かみのけ
きってもらったからかな？

すー
すー
するよ？

まだすーすー
するよ？

ぱんつはくの
わすれていたよ

「すーすーするよ」のねらい

○絵本として、お子さまに読み聞かせてあげてください。お子さまがひらがなを読めるようになると、興味をもって自分から音読するようになるでしょう。

○発音の音読絵本として、なかなかできなかった発音が、単音として発音でき、単語、文章として発音できるようになった時、そのあとはどうすればよいでしょうか。お子さまが伝えたいことを話す前に親子の会話の中で覚えた発音を直すことは、お子さまの話したい意欲をなくしてしまうでしょう。

○「すーすーするよ」は、お子さまが、サ行音の中でいちばん発音しやすい「ス音」が発音できるようになった時に使います。発音できるようになった「ス音」が多く入った文を音読することで、舌の位置を覚えて「サ、ソ、セ音」の発音誘導につなげることを目的としています。

※「シ音」は、舌の使い方が違います

（秋山 篤）

監修
おおなり てつお（大成 哲雄）
東京都に生まれる。聖徳大学教育学部教授。アーティスト。
「大地の芸術祭」などで発表。地域や教育機関などでアートプロジェクトを展開。近年は松戸市を中心に様々な人が楽しめるアートの研究を行っている。

作
あきやま あつし（秋山 篤）
京都市に生まれる。聖徳大学教育学部教授。言語聴覚士。
聾学校教員時代に修得した発音指導の技能を活かし、ことばの相談を行っている。就学前の幼児といかに楽しく発音の練習ができるかを模索している。

絵
きたがわ ゆうぜん（北河 悠然）
ドイツ ハンブルグ市に生まれる。フリーのイラストレーター・漫画家。いつまでもワクワクを伝えられるように日々模索している。個性的なキャラクターたちの元気いっぱいな声をまるごとそのままお届けしたい。

すーすーするよ

2023 年 6 月 26 日　　初版発行

作：あきやま あつし　　絵：きたがわ ゆうぜん
監修：おおなり てつお

発行所　　株式会社　三恵社
〒 462-0056　愛知県名古屋市北区中丸町 2-24-1
TEL 052-915-5211　FAX 052-915-5019
URL https://www.sankeisha.com